@ebol

Y fersiwn Saesneg
Milly the Meerkat gan Oakley Graham
Cyhoeddwyd gyntaf gan Top That Publishing plc
Hawlfraint y testun © Oakley Graham 2011
Cedwir pob hawl

Y fersiwn Cymraeg
Addaswyd gan Megan Lewis
Golygwyd gan Adran Olygyddol Cyngor Llyfrau Cymru
Dyluniwyd gan Ceri Jones
Mae'r cyhoeddwr yn cydnabod cymorth ariannol Cyngor Llyfrau Cymru

Cyhoeddwyd yn Gymraeg gan Atebol Cyfyngedig, Adeiladau'r Fagwyr,
Llanfihangel Genau'r Glyn, Aberystwyth, Ceredigion SY24 5AQ yn 2012
Hawlfraint y cyhoeddiad Cymraeg © Atebol Cyfyngedig 2012
Argraffwyd yn China

Mili'r Mircat

Oakley Graham

Addaswyd gan Megan Lewis

Roedd mircat ifanc o'r enw Mili yn eistedd ar ben y twyni tywod. Ei thro hi oedd hi i warchod y pentref, ond roedd y gwaith yn hir ac yn ddiflas.

There once was a young meerkat called Milly, who was bored as she sat on an earth mound taking her turn as lookout.

Am dipyn o hwyl, cymerodd Mili anadl fawr ddofn, a chyfarth yn uchel, 'Neidr! Neidr! Mae neidr yn agos at dwll y rhai bach!'

To amuse herself, Milly took a great, big breath and barked out, 'Snake! Snake! A snake is approaching the baby meerkats' burrow!'

Rhuthrodd pob mircat mawr allan o'i gartref a rhedeg
draw i helpu Mili i gael gwared ar y neidr.

All the other meerkats came running out of their own burrows to help
Milly drive the snake away.

Ond, ar ôl iddynt gyrraedd copa un o'r twyni tywod, doedd dim neidr i'w gweld yn unman. Dechreuodd Mili chwerthin wrth weld pawb yn edrych yn gas arni.

But when they arrived at the top of the mound, they found no snake.
Milly laughed at the sight of their angry faces.

'Mili, paid â gweiddi "neidr",'
meddai un mircat,
'os nad oes neidr yna!'

'Don't bark "snake",
Milly,' said the other meerkats,
'if there's no snake!'

Yn hwyrach y diwrnod hwnnw, roedd Mili yn dal i deimlo'n ddiflas, felly dyma hi'n cyfarth yn uchel eto, 'Neidr! Neidr! Mae neidr yn agos at dwll y rhai bach!'

Later that day, Milly was feeling even more bored and barked out again, 'Snake! Snake! A snake is approaching the baby meerkats' burrow!'

Dechreuodd Mili wenu'n ddrygionus wrth weld y mircats mawr yn rhedeg unwaith eto at un o'r twyni tywod, er mwyn ei helpu i gael gwared ar y neidr.

To her mischievous delight, Milly watched as the other meerkats rushed to the mound to help her drive the snake away.

Ond, ar ôl cyrraedd copa un o'r twyni tywod, doedd dim neidr i'w gweld yn unman. Unwaith eto, dechreuodd Mili chwerthin wrth weld pa mor gas roedd pawb yn edrych arni.
'Mili, paid â gweiddi "neidr",' meddai mircat arall, 'os nad oes neidr yna!'

But when the other meerkats arrived at the top of the mound, they found no snake. Again, Milly laughed at the sight of their angry faces. 'Don't bark "snake", Milly,' repeated the other meerkats, 'if there's no snake!'

Yn hwyrach y prynhawn
hwnnw, gwelodd Mili
neidr GO IAWN yn
llithro tuag at y twll lle
roedd y rhai bach.

Late in the afternoon, Milly saw a
REAL snake slithering close to the
baby meerkats' burrow.

Neidiodd Mili ar ei thraed mewn ofn, gan gyfarth mor uchel ag y gallai, 'Neidr! Neidr! Mae neidr yn dod at dwll y rhai bach!'

Alarmed, Milly leapt to her feet and barked out as loudly as she could, 'Snake! Snake! A snake is approaching the baby meerkats' burrow!'

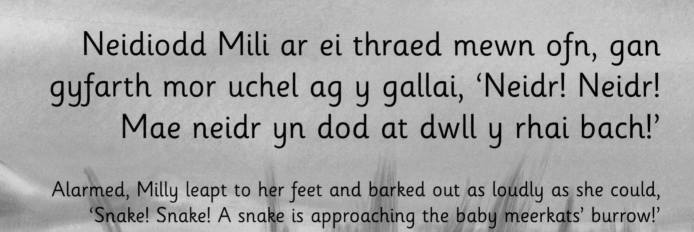

Ond roedd pob mircat mawr yn meddwl mai tric arall gan Mili oedd hwn, felly dyma nhw'n penderfynu peidio mynd allan i'w helpu.

But the other meerkats just thought that Milly was trying to fool them again, so they didn't come out to help her.

Wrth iddi dywyllu, dechreuodd pawb feddwl pam
nad oedd Mili wedi dod i gael ei swper.
Aethon nhw allan i chwilio am Mili,
a dod o hyd iddi'n crio ar ei phen ei
hun ar gopa un o'r twyni tywod.

Outside, as day turned to night, everyone
wondered why Milly hadn't
returned for supper. They went
out and found her.

'Roedd neidr go iawn yma! Mae'r rhai bach i gyd wedi rhedeg i ffwrdd! Fe wnes i gyfarth "neidr" mor uchel ag y gallwn i,' llefodd Mili. 'Pam na ddaethoch chi i helpu?'

'There really was a snake here! The meerkat babies have scattered! I barked out, "snake", as loudly as I could,' sobbed Milly. 'Why didn't you come to help me?'

Daeth mircat hen a doeth i gysuro Mili wrth iddyn nhw gerdded yn ôl i'r pentref. Rhoddodd ei fraich amdani a dweud, 'Paid â phoeni, fe wnawn ni dy helpu di i ddod o hyd i'r rhai bach sydd ar goll.'

A wise old meerkat tried to comfort Milly as they walked back to the village. 'We'll help you look for the lost meerkat babies,' he said, putting his arm around Milly.

'Ond rwyt ti wedi dysgu gwers bwysig iawn heddiw, Mili. Does neb yn credu pobl sy'n dweud celwyddau o hyd ... hyd yn oed pan fyddan nhw'n dweud y gwir!'

'You have learnt an important lesson today, Milly. Nobody believes a liar ... even when they are telling the truth!'

Aeth pob un mircat o'r pentref i helpu Mili i chwilio am y rhai bach. Daethant o hyd iddyn nhw i gyd, ac yna eu rhoi i gysgu'n ddiogel yn eu tyllau.

The entire meerkat colony helped Milly look for the lost babies and once they were all found, they tucked them up safely in their burrows.

Teimlai Mili yn flin iawn am yr hyn roedd wedi'i wneud. Fe wnaeth hi addo na fyddai byth yn dweud celwyddau wrth ei theulu na'i ffrindiau eto.

Milly was very sorry for what she had done and promised that she would never lie to her family and friends again.